Für Maurine und Murdoch Murchison
von Lisa und Konrad Zimmermann

Aberdeen, 17-07-1988

HEIDELBERG

HEIDELBERG

Fotografiert von Rolf Verres
Text von Edwin Kuntz

Nicolaische Verlagsbuchhandlung Berlin

Layout: Dieter Winzens

Umschlagbild: Stadt und Brücke bilden eine vollkommene Einheit
Titelbild: Im Kurpfälzischen Museum – Putten tanzen Ballett

Satz: Fotosatz Richter GmbH., Berlin
Offsetlithos: Meisenbach, Riffarth & Co – Bruns & Stauff GmbH., Berlin
Druck und Einband: Passavia GmbH., Passau
Printed in Germany
ISBN 3-87584-085-2

Neben der deutschen Ausgabe erscheinen auch eine englische und japanische

Blättert man in diesem Buch, dann ist es, als sähe einen ein Stück ursprüngliches Heidelberg an. Das soll nicht heißen, daß hier nur die Vergangenheit spräche. Sie wird beschworen, gewiß – und wie! Aber sie wird als Gegenwart beschworen. Die Fotografie ist hier nicht zum Zeugen des Abgelebten, sondern zum Zeugen des Alltäglich-Gegenwärtigen geworden.

Rund 65 Aufnahmen sind in diesem Bildband vereinigt, eine Auswahl aus tausenden, die alle den gleichen stillen und seelenhaften Zug aufweisen. Der Band ist nicht nur ein Heidelberg-Buch, er ist ebenso auch ein Dokument persönlichen Sehens und sensibler Fotografie. Unschwer ist zu erkennen, daß diese Fotos aus ein und derselben Hand stammen. Dem schon in den frühesten Morgenstunden und bis zum späten Abend bereiten Augenzeugen – denn das vor allem muß von Rolf Verres gesagt werden, daß er „Augenzeuge" ist – ging es nicht darum, „Plakate" für Heidelberg zu schaffen. Sein Ziel war auch nicht, Heidelberg in seiner heutigen Gesamtheit zu porträtieren oder etwa soziologische Strukturen aufzudecken. Es fehlen die Neubauten, die Anlagen ganzer Satelliten-Stadtteile, es fehlen die neuen Straßenzüge und die umgestalteten Plätze. Im Vordergrund steht, was jeder in und im nächsten Umkreis der Altstadt vor Augen haben kann. Aber wie ist das alles gesehen! Wie sind hier Bezüge nachvollzogen, die ganzen Generationen von Architekten nicht nur eine Aufgabe, sondern auch eine Verpflichtung waren. Der Bereich der Motive ist im wesentlichen bewußt auf die Altstadt beschränkt, mit Brücke und Schloß. Rolf Verres hat sich nicht gescheut, zum Beispiel die Alte Brücke mehrmals in sein Buch aufzunehmen. Er hat damit eines der Grunderlebnisse angesprochen, das nicht nur den Fremden, sondern auch den hier Ansässigen packt und ergreift. Die Alte Brücke ist eine der schönsten der Welt. Von dieser Stelle aus erlebt man aus nächster Nähe den Zusammenklang von Fluß, Stadt und Schloß. Auch die übrigen Fotos zeigen, daß Rolf Verres nicht nur „Motive" aufgenommen hat, sondern daß er dem Gemüt der Stadt nachgespürt hat. Wir sind hunderte Male am Morgen den Philosophenweg hinauf- und hunderte Male denselben Weg am Abend gen Westen gegangen: immer zeigten sich Brücke, Stadt und Schloß in einem anderen Licht. Das ist in diesem Buch festgehalten.

Keine Postkarten-Klischees also. Eher der Versuch zu vermitteln, was in Heidelberg tagtäglich zu schauen ist: Wandlung auch des vertrauten Bildes durch den Wechsel von Licht und Wolken. Wenn ein ehemaliger Heidelberger Universitätsprofessor einmal meinte, er könne den Blick vom Neuenheimer Ufer aus auf Stadt und Schloß nicht mehr ertragen, dann stehen dem nicht nur vieltausendfache andere Bezeugungen entgegen, sondern auch der Vorwurf, daß er nicht sehen gelernt haben kann. Die Wahrheit ist doch, daß gerade dieser Blick sich ständig erneuert. Die Sonne erweist sich, je nach ihrem Stande, vom Morgen bis zum Abend als Inszenierungsmeisterin. Von Stunde zu Stunde hebt sie andere Teile der Naturkulisse hervor. Diesem Segen ist Verres staunend und fasziniert gefolgt. Auch das Gebaute – dies zu sagen ist fast überflüssig, aber in diesem Zusammenhang doch notwendig –, die Türme, die Dächer werden ebenso wie Schloß und Brücke längst als Natur empfunden. Das gerade ist ja auch, was Heidelberg so leicht verletzlich macht und bei baulichen Maßnahmen zu äußerster Vorsicht mahnt. Glücklicherweise wird seit einigen Jahren auch bei der erforderlichen einschneidenden Altstadtsanierung auf das vorhandene Ensemble Rücksicht genommen.

Zwei Hauptpunkte: Was hier in diesem Bildband seinen Niederschlag gefunden hat, steht jedem offen, der sehen kann. So wird dieses Fotowerk zu einem Wegweiser für den schauenden Menschen, vielleicht vor allem deshalb, weil es auf keiner Seite etwas Angespanntes, geschweige denn Überspanntes hat. Es nimmt nicht wunder, wenn man erfährt, daß dieser Fotograf Arzt ist und sich als Forscher wie als Arzt vornehmlich Problemen der medizinischen Psychologie, man könnte auch sagen: der psychologischen Medizin widmet. Rolf Verres lebt seit Jahren in Heidelberg und hat diese Stadt lieben gelernt. Welche seiner Aufnahmen man auch näher ins Auge faßt: überall ist Behutsamkeit zu spüren. Das Hinführen zu einem vertieften Schauen, zur Wahrnehmung auch von Unauffälligem und Kleinem, wirkt wie eine therapeutische Hilfe. Bewußt zu machen, was uns die Sonne bedeutet, wie uns das Licht bewegt und belebt und welche Formenkraft in einem Landschaftsbild steckt, wie es Heidelberg uns darbietet, kann in der Tat über das Ästhetische hinaus Einwirkung auch auf die

Psyche des Menschen haben. Heidelberg, vor allem eben die Altstadt: das ist schon ein Motiv. Es gibt wenige Städte, die so überschaubar sind und die im einzelnen doch so viele reizvolle handwerkliche Exempel aufzuweisen haben. In dem einen wie in dem anderen liegt das Geheimnis Heidelbergs. Auch, um das zu erkennen, ist dieses Buch eine wesentliche Hilfe. Schon bei den ersten Aufnahmen, die den Band einleiten, spürt man die Absicht, Stille und Stimmung miteinander zu verbinden. Da ist nichts mit technischen Mitteln im Laboratorium verbessert, noch ist etwas wegretuschiert worden. Das wohl einzige Hilfsmittel, das angewandt worden ist, ist der Bildschnitt. Die Farben sind abgedeckt, stets eher zart als auftrumpfend.

Bevorzugt sind Blautöne, die übrigens jedes offene Auge für Heidelberg, besonders um den Neckar herum, als spezifisch wahrnehmen kann. Das ebenfalls charakteristische Sandsteinrot klingt deutlich durch, bleibt aber im ganzen doch gedämpft und wird mehr in differenzierter Gebrochenheit als in seiner radikalen Wucht, die es bei voller Sonnenbestrahlung erreichen kann, eingesetzt.

Eine solche Art zu sehen, setzt innere Sicherheit und eine starke Persönlichkeit voraus. Das eine wie das andere ist in diesem Buche zu finden, eingeschlüsselt in ein Schauvermögen, das an die Romantiker erinnert. Daß Heidelberg nicht mehr zu malen wäre, heißt es, sei spätestens bei der Absage Kokoschkas klar geworden, der den Auftrag, ein Porträt der Stadt zu schaffen, nach längerem Aufenthalt abgelehnt hat. Wie dem auch sei: es kommt ein Fotograf, der – zum Teil in fast malerischer Weise – Heidelberg sieht, wie es ist, und dem es gelingt, eine legitime Verbindung mit jenen früheren Künstlern herzustellen, die, so wie etwa Turner, Fohr, Rottmann, Heidelberg als eine unerschöpfliche Quelle bildnerischen Schauens empfunden haben. Die Fotografie hat sich, im Gesamten gesehen, wieder abgewandt von dem falschen Ziel, durch technische Mittel „Kunst" zu produzieren. Sie hat sich auf ihren Ursinn besonnen, die Wirklichkeit wiederzugeben. Daß da nun Rolf Verres nicht in gängige Klischees verfallen ist, sondern Arbeiten hervorgebracht hat, die völlig unverbraucht wirken und einen eigenen Stil erkennen lassen: das, glaube ich, ist der besondere Reiz dieses Bildbandes.

Wiederholt lenkt das Buch die Blicke auf Dächer. Ob man vom Schloßaltan oder vom Philosophenweg aus auf die Stadt hinabblickt: es ist, als ob man dieses noch immer harmonisch wirkende Dachgewinkel als menschliches Miteinander auslegen dürfte. Auch ein erleuchtetes Fenster, eine Hauswand, ein Wirtshaus-Schild und die Blicke in die Innenhöfe der Altstadt oder Handschuhsheims lösen die gleichen Empfindungen aus. Welch schöne Strahlung geht von dem Handschuhsheimer Schlößchen aus! Vom weiteren Umkreis ist auch, neckaraufwärts, der Dilsberg eingeschlossen, der fast stündlich wechselnd in ein neues Licht, in eine andere Bewölkung getaucht ist.

Es handelt sich, um es noch einmal zu sagen, um ganz stille Bilder. Stadt und Brücke bilden eine vollkommene Einheit. Der Gang über die Alte Brücke ist der schönste Weg in die Stadt. Im Kurpfälzischen Museum kann man, wenn man das Auge dafür hat, Putten Ballett tanzen lassen. Man kann die Alte Brücke, neben dem Schloß das bedeutendste Wahrzeichen Heidelbergs, auf vielfältige Weise sehen; Verres' Fotos zeigen es eindringlich. Die Fußgängerzone ist belebt nicht nur durch die fahrenden Musikanten, sondern auch durch die Schattenrisse, die sich an den Fenstern der Kneipen abzeichnen. Perkeo sagt an vielen Stellen sein Prosit dazu. Der alte Karzer der Universität gehört zum festen Besuchsprogramm. Die Lädchen an der Heilig-Geist-Kirche, fast wie hingeklebt wirkend, verkaufen nicht nur Erinnerungen, sondern sie sind auch selbst für jeden, der einmal in Heidelberg gelebt hat, ein Stück bleibender Erinnerung. Selbstverständlich bildet das Schloß einen der Hauptanziehungspunkte. Es gibt in diesem Band eine Aufnahme, die es in seiner Ganzheit zeigt, eine Aufnahme, die sein Gefüge in selten so gesehener Deutlichkeit vor Augen führt. Auch hier ist das Ringen des Fotografen um die Minute der rechten Beleuchtung spürbar. Gut fotografieren können, heißt eben in erster Linie auch: warten können und viele Vorstudien betreiben. Das Schloß hat, auch das belegt dieses Buch, viele Profile, man könnte sogar sagen: viele Gesichter. Gewiß gibt es auch Gäste, die, vom vielen Reisen und Schauen ermüdet, selbst an Sehenswertem nur noch mit lässiger Neugierde vorüberstreifen. Die Augen öffnen sich eben immer dann erst richtig, wenn man fühlt, was man sieht.

Dennoch läßt sich's nur schwer vorstellen, daß jemand, der auf den Schloßaltan hinaustritt und die Stadt zu Füßen sieht, nicht überwältigt wäre.

Unentwegt ist Verres unterwegs. Im frühen Morgenlicht sieht er die Jesuitenkirche auftauchen aus der Nacht. Er sieht, wie die Brücke als grafischer Akzent in die Landschaft hineinwirkt. In Fotografien von Portal- und Fenstergestaltungen zeigt er auf, mit wieviel Liebe hier gebaut worden ist. Die Zufahrtsstraße zum Schloß ist so eindrucksvoll erfaßt, daß man sich an ein ganz bestimmtes Bild von Max Beckmann erinnert fühlt, an seine berühmte „Wegkehre im Schwarzwald". Dann wieder die Stille des Katalogsaales der Universitätsbibliothek und die fast schon an Hilflosigkeit grenzende fragende Scheu eines Studenten vor den Aushängen am Schwarzen Brett. Es fehlt nicht die Manessische Liederhandschrift, eines der Glanzstücke, die die Heidelberger Universitätsbibliothek zu bieten hat, und es fehlt auch nicht der Riemenschneider-Altar, um den jedes Museum der Welt das Kurpfälzische Museum beneidet.

Die Folge dieser Aufnahmen stellt kein Register „Heidelberger Merkwürdigkeiten" dar. Und doch sagt dieser Band aus, was Tausende und aber Tausende von Menschen hier empfunden haben: diese Stadt kann man lieben . . . und man kann in ihr leben. Rolf Verres weiß genau, daß er, indem er den falschen Glanz und die Wunden des Großstädtischen, die Spuren der Planierraupen und die Wüsteneien der Großbaustellen beiseite gelassen hat, Heidelberg schmeichelt. Sein Buch, obwohl so liebevoll, ist indessen gar nicht so unkritisch. Nur: die Kritik ist hier ganz ins Positive gewendet. „Um so trauriger machte es mich", so schrieb er einmal, „als ich immer häufiger die Erfahrung machen mußte, daß liebgewonnene alte Gemäuer plötzlich niedergewalzt wurden". Verres hat darunter gelitten, was geschehen ist, zum Teil wahrscheinlich aber auch geschehen mußte. Aber er klagt nicht über Verlorenes, sondern er zeigt mit Freude und beständiger Liebe – Liebe zu Heidelberg, Liebe zum Licht und Liebe auch zur Fotografie – auf, was noch da ist. „Ich werde mir", so sagte er, „mit diesem Buch möglicherweise den Vorwurf einhandeln, ein zu idyllisches, ja unrealistisches Bild vom heutigen Heidelberg vorzustellen. Autoschlangen, Abrißszenen, Betonwände und die nicht endenwollenden seelenlosen Schaufensterpassagen sind in diesem Buch nicht zu sehen. Dennoch möchte ich zu bedenken geben: auch angesichts der vielfältigen Zerstörungen ist es lohnend, sich die noch verbliebenen Schönheiten vor Augen zu führen. Gerade wenn wir die ästhetischen Reize unserer Umwelt zu würdigen wissen, werden wir diejenige Emotionalität aufbringen, die uns dabei helfen kann, wirksam gegen die allmähliche Demontage eben dieser unserer liebgewonnenen Lebensräume Stellung zu beziehen."

Nach unten klare Sicht, darüber ein breiter Wolkenbalken,
und dann, über diesem, der klare Umriß des Heiligenberges –
aufgenommen von der Molkenkur aus

Tausendmal gesehen, und doch hier in einem einzigartigen Augenblick erfaßt:
Detail vom Ottheinrichsbau des Schlosses

Die kraftvollen Brückenpfeiler im Kontrast zu den Türmen

Die Brücke als starker grafischer Akzent über dem Neckar
und in der Landschaft

Jedem vorüberfahrenden Schiff gilt auch ein Gruß der Stadt

Abendliches Wolkenleben gegen die Rheinebene zu –
Blick vom Philosophenweg

Die Jesuitenkirche im frühen Morgenlicht

Brücke, Stadt und Schloß - ein einzigartiges Ensemble

Das Schloß, in die Landschaft gebettet

Ein erstes Frühlingszeichen im Heidelberger Schloßgraben

Plastischer Figurenschmuck am Schloß und auf der Alten Brücke –
Links oben: das berühmte Engelspaar

Schloßbesucherinnen

Das Schloß in seiner Gesamtheit bei ungewöhnlichen Lichtverhältnissen
am späten Nachmittag

Stille Winkel im Schloßhof

Winterliche Szene im Schloßhof

Das Handschuhsheimer Schlößchen, Geburtshaus Carl Rottmanns,
des bedeutenden romantischen Malers

Licht und Schatten beleben das Dächerspiel der Altstadt

Charakteristische Altstadtgasse – Portal- und Fenstergestaltungen zeigen an,
mit wieviel Liebe hier gebaut worden ist

Blick auf die Zufahrtsstraße zum Schloß,
an eines der Hauptwerke Max Beckmanns erinnernd

Die Stadthalle ist zu einem vielgefragten Kongreßzentrum geworden.
Hier finden auch die Symphonie-,
die Meister- und die großen Jazzkonzerte statt

Das „Hotel Ritter“,
vom Turm der Heilig-Geist-Kirche aus gesehen

Fahrende Musikanten in der Fußgängerzone

Ein „Prosit" von Perkeo – Die Stimmung der vielen Altstadt-Lokale dringt selbst noch durch die Fenster

Der neue Brückenaffe – Immer wieder gewähren Durchgänge in alte Hinterhöfe überraschende Einblicke

Im alten Karzer der Heidelberger Universität

Erinnerungskrüge; die kleinen Lädchen, in die Heilig-Geist-Kirche eingenistet,
können auf eine lange Tradition zurückblicken

Motive aus der Altstadt –
Vielfältig spiegelt sich die Umwelt in den Butzenscheiben

Alltag in Heidelberg – Links: Eine Szene aus Handschuhsheim –
Rechts: Pfälzisches Temperament auf dem Wochenmarkt

Stöbern in einem Buchantiquariat

Blick in das Apothekenmuseum im Schloß

Universitätsbibliothek - die berühmte Manessische Liederhandschrift

Eine der Kostbarkeiten Heidelbergs: der Riemenschneider-Altar
im Kurpfälzischen Museum (Ausschnitt)

Pantomime im Kurpfälzischen Museum

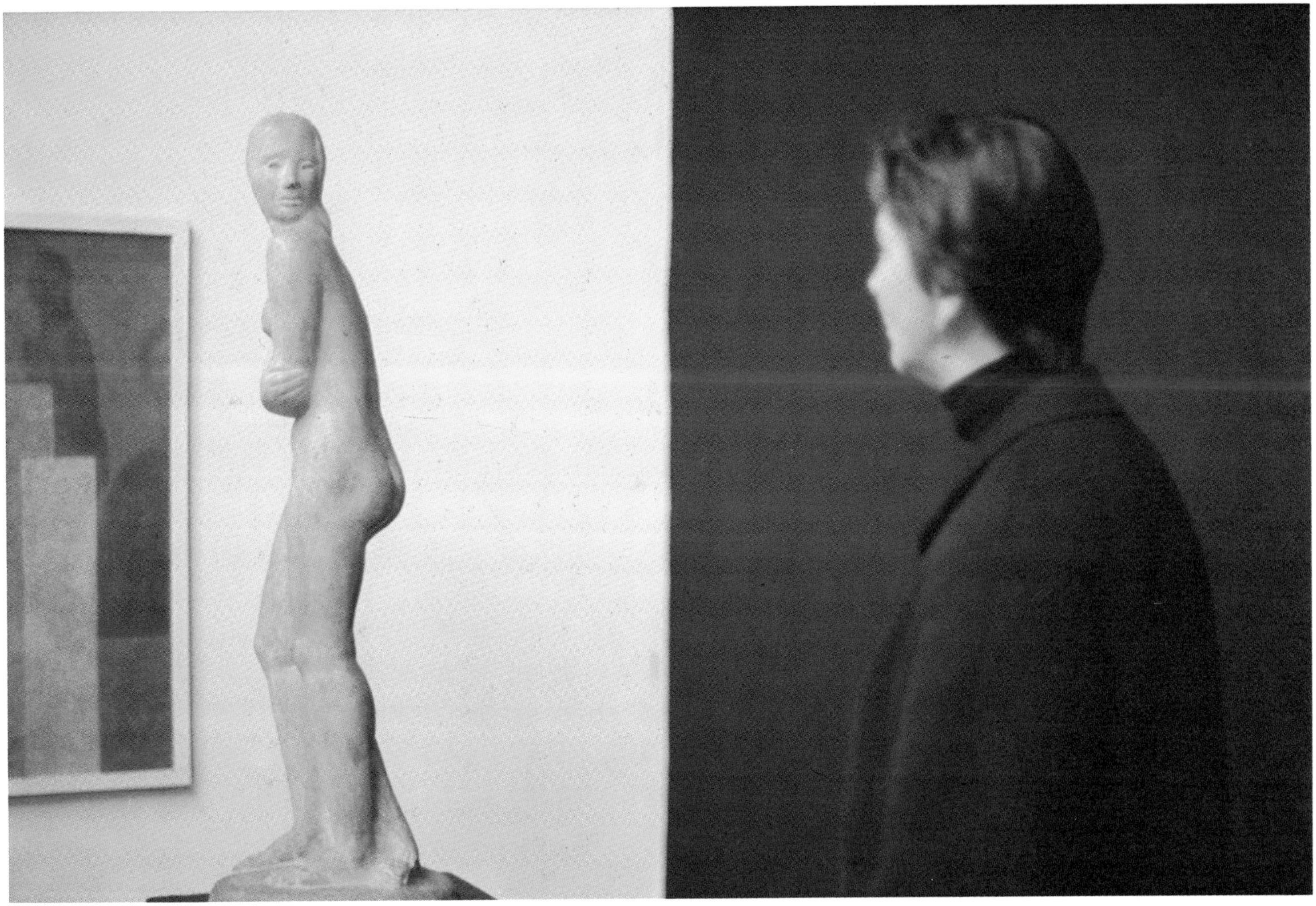

Nachdenkliche Begegnung (Kurpfälzisches Museum)

Katalogsaal der Heidelberger Universitätsbibliothek

Lehrkräfte der Universität hängen nach wie vor ihre Vorlesungen und Übungen am Schwarzen Brett aus – Mancher Neuankömmling braucht da schon ein paar Tage Bedenkzeit

Universitätsleben - Szene aus einem pathologisch-anatomischen Kurs

Parkplatznot in Heidelberg

Altes Wirtshausschild, heute im Hof des Kurpfälzischen Museums

Die Kornmarkt-Madonna, im Hintergrund das Schloß

Blick aus der Hauptstraße in den aufkommenden Morgen

Durchgang zum Haus des „Riesen“

Ein Ensemble von starker bildhafter Wirkung:
Brücke und Scheffelterrasse

Marstall, Heuscheuer, Heilig-Geist-Kirche und Schloß

Wechsel des Wetters:
der Weg über die Alte Brücke kann auch so aussehen

Silhouette der Alten Brücke gegen das Schloß

Motiv in der Handschuhsheimer Tiefburg

Wasserspeier am Brunnen vor der Tiefburg

Innenhöfe und Veranden
in Handschuhsheim, am Heumarkt und am Brückentor

Nostalgie in Handschuhsheim –
fast schon künstlerisch zusammengestellte „Landart“

Unvergeßlich für jeden Neckartal-Fahrer:
die Silhouette des Dilsbergs